GOTTFRIED AUGUST BÜRGER

MÜNCHHAUSENS ABENTEUER

GEKÜRZT UND VEREINFACHT
FÜR SCHULE UND SELBSTSTUDIUM

Diese Ausgabe, deren Wortschatz nur die gebräuchlichsten deutschen Wörter umfaßt, wurde gekürzt und in der Struktur vereinfacht und ist damit den Ansprüchen des Deutschlernenden auf einer frühen Stufe angepaßt.

Oehler: Grundwortschatz Deutsch (Ernst Klett Verlag) und Das Zertifikat. Deutsch als Fremdsprache (Deutscher Volkshochschul-Verband e.V., Bonn – Bad Godesberg und Goethe-Institut zur Pflege der deutschen Sprache im Ausland e.V., München) 2. neubearbeitete und erweiterte Auflage 1977 wurden als Leitfaden benutzt.

Herausgeber: Gisela Betke Nielsen
Illustrationen: Oskar Jørgensen

Gedruckt in Dänemark von
Grafisk Institut A/S, Kopenhagen

GOTTFRIED AUGUST BÜRGER
(1747-1794)

Gottfried August Bürger war Professor in Göttingen und ist durch seine Balladen »Lenore«, »Der wilde Jäger« und »Das Lied vom braven Mann« bekannt geworden. Die Sammlungen altenglischer Balladen regten ihn zu seinen Gedichten an. Seine Werke schildern in dramatischer Form das Leid und die Trauer des Volkes, aber auch seinen Glauben an das Gute.

Im Jahre 1786 entdeckte Gottfried August Bürger die englische Ausgabe der Abenteuer Münchhausens. Diese sogenannten »Münchhausiaden« hatte der Freiherr Karl Friedrich Hieronymus von Münchhausen selbst seinen Freunden erzählt.

Münchhausen war eine historische Gestalt und lebte von 1720-1797 in Bodenwerder. Er nahm an dem russischen Krieg gegen die Türken teil. Später ließ er sich auf dem Gut seines Vaters nieder und verbrachte die Abende im Kreise seiner Freunde. An diesen Abenden erzählte er in humorvoller und übertriebener Form von seinen Erlebnissen und Abenteuern zu Wasser und zu Lande.

Die Berliner Zeitschrift »Vademecum für lustige Leute« hatte die Geschichten Münchhausens gedruckt. Der deutsche Gelehrte Rudolf Erich Raspe, der einige Jahre in England lebte, gab sie als Buch in englischer Sprache heraus.

Gottfried August Bürger übertrug die englische Ausgabe ins Deutsche. Er fügte aber eigene Gedanken und Erzählungen hinzu. »Des Freiherrn von Münchhausens wunderbare Reisen und Abenteuer zu Wasser und zu Lande« von Bürger gehören heute zur Weltliteratur.

INHALT

MEINE ERSTE REISE

Die erste Reise in meinem Leben war eine *Schiff*sreise. Schon als Kind war es mein größter Wunsch, in alle Länder zu reisen. Mein Vater hatte selbst sehr viele Reisen gemacht. An langen und dunklen Winterabenden hatte er uns oft von seinen *Abenteuern* erzählt. So kann man wohl verstehen, daß ich große Lust zum Reisen bekam. Ich wollte die Welt sehen.

Ich bat meinen Vater um die Erlaubnis, mich reisen zu lassen. Doch vergebens! Ich bekam nicht die Erlaubnis. Meine Mutter ließ mich auch nicht reisen. Sie hatte Angst um mich.

Aber eines Tages besuchte uns der Bruder meiner Mutter. Er hatte mich sehr gern, und er sagte oft zu mir:

»Du bist ein mutiger und lustiger Junge!«

Er wollte mir helfen und mit meinem Vater sprechen. Seine Worte hatten Erfolg. Zu mei-

das Schiff

---

das Abenteuer, ein merkwürdiges Geschehen

ner größten Freude bekam ich endlich die Erlaubnis, mit ihm nach Ceylon zu reisen.

Wir fuhren mit dem Schiff von Amsterdam ab. Auf unserer Reise geschah nichts Besonderes. Nur einmal kamen wir in einen schrecklichen *Sturm*. Über diesen merkwürdigen Sturm will ich ein paar Worte sagen.

Der Sturm fing an, als wir zu einer *Insel* kamen. Dort wollten wir *Holz* und Wasser holen. Der Sturm war so kräftig, daß er viele große Bäume aus der Erde *riß*. Er zog die Bäume mit der *Wurzel* aus der Erde heraus und warf sie hoch durch die Luft. Viele Bäume waren so schwer wie hundert große Steine. Doch hoch oben – viele tausend Meter über der Erde – flogen sie wie kleine Punkte durch die Luft. Als der Sturm vorbei war, fiel jeder Baum wieder an seine Stelle zurück.

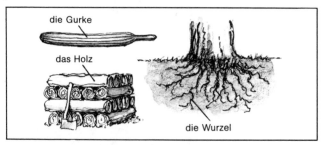

die Gurke

das Holz

die Wurzel

der Sturm, ein sehr starker Wind
die Insel, ein Land im Wasser
reißen, stark ziehen

7

Nur der größte Baum flog an eine andere Stelle. Als dieser Baum durch den kräftigen Sturm aus der Erde gerissen wurde, saßen gerade ein Mann und seine Frau darauf und *pflückten Gurken*. Auf dieser Insel gibt es nämlich sehr saftige und süße Gurken auf den Bäumen.

Der Mann und die Frau machten also eine Reise durch die Luft. Der Baum war aber nun viel schwerer. Er verlor seine Richtung und kam an einer ganz anderen Stelle herunter.

Alle Menschen waren aus ihren Wohnungen gegangen, als der Sturm angefangen hatte. Auch der *König* hatte aus Angst sein Haus verlassen. Er wollte gerade wieder durch sei-

der König

der Thron

---

pflücken, das Obst von den Bäumen abnehmen
die Gurke, siehe Zeichnung auf Seite 7

nen Garten in das Haus gehen. Da fiel dieser Baum herunter und tötete den König auf der Stelle. Zum Glück! Ja, ich sage »Zum Glück!« Denn, meine Herren, der König war ein schrecklicher Mann. Alle Menschen auf der Insel hatten Angst vor ihm. Sie waren die ärmsten und traurigsten Menschen unter dem Mond. Der König hatte nämlich viele Häuser. In allen Häusern hatte er so viel Fleisch, daß es schlecht wurde. Aber die armen Menschen hatten nichts zu essen und mußten hungern. Außerdem verkaufte der König die jungen und kräftigen Männer an einen anderen König auf einer anderen Insel. Dafür bekam er viel Geld, und er wurde sehr reich.

Nun waren die Menschen auf der Insel glücklich, daß der König tot war. Sie dankten dem gurkenpflückenden Paar dafür und setzten es auf den Königs*thron.* Später hörte ich, daß alle Männer und Frauen sehr zufrieden mit dem neuen König waren. Und wenn sie Gurken aßen, sagten sie immer:

»Gott helfe unserem König!«

Nach dem Sturm *verabschiedeten* wir *uns* von

---

der Thron, siehe Zeichnung auf Seite 9
sich verabschieden, auf Wiedersehen sagen

dem neuen König und seiner Frau. Wir brachten unser Schiff wieder in Ordnung, und dann fuhren wir mit gutem Wind weiter. Nach sechs Wochen kamen wir in Ceylon an.

Ungefähr vierzehn Tage später wollte ein Freund mit mir auf die *Jagd* gehen. Mein Freund war ein großer, kräftiger und mutiger Mann. Er kannte auch die Gefahren des Landes.

Als wir in den Wald gekommen waren, wurde ich sehr müde, und ich blieb weit hinter ihm zurück. Ich wollte mich gerade an einen Fluß setzen, als ich plötzlich etwas hinter mir hörte. Ich sah zurück und bekam einen großen Schreck. Hinter mir stand ein großer *Löwe*. Ich merkte, daß er mich zu seinem Frühstück haben wollte. Ohne meine Erlaubnis! Mein *Gewehr* konnte ich nur für kleine Tiere gebrauchen. Aber ich durfte keine Zeit verlieren.

So schoß ich auf den Löwen, in der Hoffnung, ihn ängstlich zu machen oder ihn zu töten. Doch der Löwe wurde sehr böse und sprang mit großer Kraft auf mich zu. In mei-

---

die Jagd, das Fangen der Tiere im Wald
der Löwe, das Gewehr, siehe Zeichnung auf Seite 12

das Gewehr

das Messer

der Rachen

das Krokodil

die Klaue

der Löwe

der Schwanz

der Abgrund

die Schlange

ner Angst versuchte ich wegzulaufen. Ich wollte zurücklaufen. Mein Herz steht jetzt noch still, wenn ich daran denke: Wenige Meter vor mir stand ein *Krokodil.* Es hatte schon seinen *Rachen* aufgemacht, um mich zu *verschlingen.*

Meine Herren, denken Sie an meine Lage! Hinter mir der Löwe, vor mir das Krokodil, links ein tiefer Fluß, rechts ein *Abgrund.* Später hörte ich, daß dieser Abgrund voll von giftigen *Schlangen* war.

---

verschlingen, schnell essen

Leblos fiel ich auf die Erde. Jeden Augenblick konnte ich in die *Klauen* des Löwen oder in den Rachen des Krokodils kommen. Doch plötzlich hörte ich etwas Merkwürdiges. Vorsichtig bewegte ich meinen Kopf und sah nach oben.

Und – was glauben Sie, meine Herren?

Zu meiner größten Freude sehe ich, daß der Löwe über mich in den Rachen des Krokodils gesprungen war. Der Kopf des Löwen saß nun fest in dem Rachen des Krokodils. Beide Tiere versuchten mit größter Kraft, sich loszumachen.

Ich sprang schnell auf, zog mein Jagd*messer* heraus und schlug den Kopf des Löwen ab. Das Krokodil konnte nun keine Luft mehr bekommen und mußte *ersticken*.

Nach diesem gefährlichen Kampf kam mein Freund. Er wollte wissen, wo ich geblieben war. Dann sahen wir uns das Krokodil an. Es war genau vierzehn Meter lang.

Als wir in die Stadt zurückgekommen waren, erzählten wir dem König dieses merkwürdige Abenteuer. Er ließ sofort die beiden Tiere in sein Haus bringen und gab mir viel

---

die Klaue, das Messer, siehe Zeichnung auf Seite 12
ersticken, keine Luft bekommen und getötet werden

Gold für den Löwen. Das Krokodil wurde nach Amsterdam gebracht. Man kann es nun im *Museum* sehen. Der *Aufseher* erzählt jedem Besucher das merkwürdige Abenteuer. Er erzählt aber nicht immer die Wahrheit, sondern sagt oft:

»Der Löwe ist durch das Krokodil gesprungen und wollte an der Hintertür wieder heausspringen. Als der Kopf des Löwen herauskam, hat der weltbekannte Baron von Münchhausen den Kopf des Löwen und den *Schwanz* des Krokodils abgeschlagen. Das Krokodil wurde sehr böse darüber. Es drehte sich um und riß dem Baron das Jagdmesser aus der Hand. Es verschlang das Messer mit so großer Kraft, daß es in sein Herz kam und das Krokodil sofort tötete.«

Meine Herren, Sie wissen, daß diese *Lügen* mir sehr unangenehm sind. Die Menschen, die mich nicht kennen, glauben dann nicht an die Wahrheit meines wirklichen Abenteuers. Und das macht einen ehrlichen Mann sehr unglücklich.

---

das Museum, das Haus, in dem wichtige Sachen gesammelt und gezeigt werden
der Aufseher, der Mann im Museum, der dafür sorgt, daß die Sachen nicht weggenommen werden
der Schwanz, siehe Zeichnung auf Seite 12
die Lüge, die Unwahrheit

Fragen

1. Warum hatte Münchhausen so große Lust zum Reisen?

2. Was war auf der Reise nach Ceylon so merkwürdig?

3. Was machte der Sturm mit den Bäumen?

4. Warum saßen der Mann und die Frau auf dem Baum?

5. Wohin ging Münchhausen mit seinem Freund?

6. Warum bekam Münchhausen einen großen Schreck?

7. In welcher Lage war Münchhausen auf der Jagd?

8. Warum mußte das Krokodil ersticken?

9. Was erzählte der Aufseher von dem Krokodil?

10. Was sagte Münchhausen zu den Lügen des Aufsehers?

DIE REISE NACH ÄGYPTEN

Meine Herren, ich will Ihnen jetzt noch etwas Merkwürdiges erzählen:

Es war wenige Monate vor meiner Reise nach Amerika. In einer wichtigen Sache mußte ich nach Kairo reisen. Ich hatte viele *Diener* bei mir. Aber auf meiner Reise hatte ich das Glück, noch mehr Diener zu bekommen.

Nicht weit von Konstantinopel sah ich einen sehr kleinen Mann. An jedem Bein trug er eine große, schwere *Kugel*. Trotzdem konnte er sehr schnell laufen. Ich wunderte mich darüber und fragte ihn:

»Warum läufst du so schnell, mein Freund? Und warum hast du die schweren Kugeln an deinen Füßen?«

Der Läufer antwortete:

»Vor einer halben Stunde bin ich aus Wien gekommen. Ich will jetzt nach Konstantino-

die Kugel

---

der Diener, der Helfer

pel gehen und dort einen neuen Herrn finden.
Jetzt habe ich aber Zeit genug. Darum habe
ich mir die Kugeln an die Füße gehängt.«

Ich sagte zu ihm:

»Ich kann dich gut gebrauchen. Willst du
mein Diener sein und mit mir reisen?«

Der kleine Mann war damit einverstanden,
und ich freute mich über meinen neuen Diener.

Wir reisten weiter durch viele Städte und
Länder. Am Rand eines Waldes sah ich einen
Mann. Er hielt sein Ohr an die Erde.

Ich fragte den Mann:

»Warum hältst du dein Ohr an die Erde?«

Der Mann antwortete:

»Ich will hören, wie das Gras *wächst*.«

»Kannst du das hören?« fragte ich.

»Oh ja, das ist nicht schwer«, sagte der Mann.

»Ich kann dich gut gebrauchen. Wenn du mein Diener sein willst, kannst du mit mir kommen«, sagte ich.

Der Mann sprang auf und war glücklich, daß er mitkommen durfte.

Nicht weit von dieser Stelle stand ein Mann auf einem kleinen Berg. Er hatte ein Gewehr in der Hand und schoß damit in die Luft.

»Wonach schießt du, mein Freund? Ich kann nur die leere Luft sehen.«

Der Mann sagte:

»Auf dem Mont Blanc sitzt ein *Vogel*, den ich gerade herunterschieße.«

Meine Herren, Sie kennen meine Liebe zur Jagd. Einen guten *Schützen* konnte ich immer gebrauchen. Ich war so glücklich, daß ich dem Mann um den Hals fiel. Und Sie verstehen, daß auch der Schütze mein Diener wurde.

der Vogel

---

wachsen, größer werden
der Schütze, ein Mann, der gut schießen kann

Wir reisten weiter. Endlich kamen wir an dem Berg von Libanon vorbei. Vor einem großen Wald stand ein dicker, starker Mensch und zog an einem *Strick*. Dieser Strick war um den ganzen Wald gelegt.

»Warum ziehst du an dem Strick, mein Freund?« fragte ich den Mann.

»Oh, ich muß Holz holen und habe meine *Axt* zu Hause vergessen. Nun muß ich mir mit dem Strick helfen.«

Und mit diesen Worten zog der Mann den ganzen Wald herunter. Was ich tat, können Sie sich denken, meine Herren. Natürlich bat

der Strick

die Axt

der Flügel

das Nasenloch

die Spindel

die Windmühle

ich auch diesen Mann, mein Diener zu werden und mit mir nach Kairo zu reisen.

Bald kamen wir nach Ägypten. Dort war
ein schrecklicher Sturm. An der Seite des We-
ges standen sieben *Windmühlen.* Die *Flügel*
dieser Windmühlen drehten sich so schnell
wie die Räder einer *Spindel.* Nicht weit davon
stand ein dicker, großer Mann. Mit einem
Finger *hielt* er sein rechtes *Nasenloch zu.* Als
der Mann uns sah, nahm er seinen Hut vom
Kopf und grüßte uns freundlich. In diesem
Augenblick war der Sturm vorbei, und die
sieben Windmühlen standen plötzlich ganz
still. Ich wunderte mich sehr darüber, aber ich

zuhalten, zumachen

war böse über den Mann und *schrie*:

»Mann, was ist das? Ist der *Teufel* in dir oder bist du der Teufel selbst?«

»Entschuldigung, Herr«, sagte der Mann, »ich mache nur ein wenig Wind, daß sich die Flügel schneller drehen. Ich muß ein Nasenloch zuhalten, sonst ist der Wind so stark, daß die sieben Windmühlen in die Luft fliegen.«

»Oh, den Mann kannst du gut gebrauchen, wenn du einmal nach Hause kommst«, dachte ich. »Wenn du von deinen Reisen zu Land und Wasser erzählst, fehlt dir oft die Luft.«

Ich fragte den Mann, ob er mitkommen wollte. Der Windmacher war damit einverstanden, ließ seine Mühlen stehen und ging mit mir.

Nach kurzer Zeit kamen wir in Kairo an. Dort war ich bald mit meiner Arbeit fertig. Nun hatte ich große Lust, mit meinen neuen Die-

der Teufel

der Sultan

---

schreien, laut rufen

nern allein zurückzureisen. Da das Wetter sehr schön war, wollte ich mit einem kleinen Schiff nach Konstantinopel fahren.

Auf der Reise hatten wir viele interessante Abenteuer, und dann waren wir endlich in der Türkei.

Der *Sultan* freute sich sehr, als ich ihn besuchte. Ich hatte auch die Freude, seinen *Harem* zu sehen. Der Sultan führte mich selbst hinein. Und ich konnte mir alle Damen nehmen, die ich gern haben wollte.

Meine Herren, ich will Ihnen aber nicht von meinen Liebesabenteuern erzählen. Darum wünsche ich Ihnen jetzt eine angenehme Ruhe.

---

der Harem, das Haus, in dem die Frauen des Sultans wohnen

Fragen

1. Warum reiste Münchhausen nach Ägypten?

2. Warum hatte der Mann die Kugeln an den Füßen?

3. Was konnte der Mann, der auf der Erde lag, hören?

4. Wo saß der Vogel, den der Schütze herunterschoß?

5. Warum fiel Münchhausen dem Schützen um den Hals?

6. Was machte der Mann mit dem Strick?

7. Warum drehten sich die Windmühlen so schnell?

8. Warum sollte der Windmacher Münchhausens Diener werden?

9. Wie kam Münchhausen wieder in die Türkei?

10. Was zeigte der Sultan dem Baron?

MEINE NEUEN DIENER

Nach der Erzählung von der ägyptischen Reise wollte der Baron zu Bett gehen. Aber gerade jetzt waren seine Besucher aufmerksam geworden. Sie wollten sehr gern noch etwas von dem türkischen Harem hören. Doch darüber wollte der Baron nichts sagen. Seine Besucher baten ihn immer wieder, weiterzuerzählen. Er wollte nicht »nein« sagen, und darum erzählte er noch etwas von seinen merkwürdigen Dienern:

Der Sultan liebte mich sehr, und er konnte

ohne mich nicht mehr leben. Jeden Mittag und Abend bat er mich, mit ihm zu essen. Ich muß sagen, meine Herren, der Sultan hatte das beste Essen auf dem Tisch. Er hatte aber keinen guten Wein. Wie Sie wissen, darf man in der Türkei keinen Wein trinken. Das erlaubt Mohamed nicht. Oft tut man es aber *heimlich.*

Viele Türken wissen also trotzdem, wie guter Wein schmeckt. Der türkische Sultan wußte das auch. Wenn er mit seinen Besuchern zu Mittag aß, sagte man kein Wort vom Wein. Wenn das Mittagessen aber vorbei war, ging der Sultan in sein *Kabinett,* um einen guten Wein zu trinken.

Einmal gab er mir ein heimliches Zeichen. Ich sollte mit ihm in sein Kabinett gehen. Als wir die Tür hinter uns zugemacht hatten, nahm er aus seinem Schrank eine Flasche heraus. Dann sagte er:

»Münchhausen, ich weiß, ihr Europäer liebt ein gutes Glas Wein. Hier habe ich noch eine kleine Flasche *Tokaier.* So einen guten Wein hast du nie in deinem Leben getrunken.«

---

heimlich, nicht zu sehen und zu hören für andere
das Kabinett, ein kleines Arbeitszimmer
der Tokaier, ein ungarischer Wein

Dann gab er mir ein Glas Tokaier, und er selbst trank auch ein Glas.

»Nun, was sagst du? Ist der Wein nicht besonders gut?«

»Der Wein ist gut«, sagte ich, »aber bei dem *Kaiser* in Wien habe ich einen besseren Wein getrunken. Diesen Wein müßten Sie einmal versuchen.«

»Freund Münchhausen«, sagte der Sultan, »das ist nicht möglich. Ich bekam diesen Tokaier von einem ungarischen Baron.«

»Es gibt gute und schlechte Weine, *Hoheit*«, antwortete ich. »In einer Stunde können Sie vom Kaiser in Wien einen Tokaier bekommen, der viel besser schmeckt.«

»Münchhausen, ich glaube, du lügst.«

»Ich lüge nicht, Hoheit! In einer Stunde können Sie aus Wien einen viel besseren Wein bekommen.«

»Münchhausen, Münchhausen, ich weiß, du liebst die Wahrheit. Aber das glaube ich dir nicht.«

»Gut, Hoheit, wir wollen es versuchen. Sie wissen, ich *hasse* Unwahrheiten. Wenn ich die Unwahrheit sage, dann lassen Sie mir den

---

der Kaiser, der König eines großen Landes oder vieler Länder
die Hoheit, der »hohe« Herr, der Titel eines Königs
hassen, nicht lieben

27

Kopf abschlagen. Sind Sie damit einverstanden?«

»Gut. Ich bin einverstanden. Wenn die Flasche Tokaier nicht genau um vier Uhr hier ist, mußt du es mit deinem Kopf bezahlen. Wenn die Flasche aber um vier Uhr hier ist, gebe ich dir Gold und Silber. Du kannst soviel bekommen, wie du tragen kannst.«

»Einverstanden«, sagte ich.

Ich schrieb einen Brief an die Kaiserin Maria Theresia von Österreich:

»Ich bitte Ihre *Majestät* freundlichst um eine Flasche von dem besten Tokaier. Bei Ihrem Vater, dem Kaiser, habe ich oft den besten Tokaier getrunken. Ich danke Ihrer Majestät und bin immer Ihr Diener M.«

Diesen Brief gab ich meinem Läufer. Und er lief sofort nach Wien. Dann tranken der Sultan und ich den Rest von seiner Flasche, und wir warteten.

---

die Majestät, die königliche Hoheit

Es wurde ein Viertel nach drei. Es wurde halb vier. Es wurde ein Viertel vor vier. Der Läufer war noch nicht zu hören und zu sehen. Ich wurde etwas ängstlich, denn der Sultan sah oft auf die Uhr. Er erlaubte mir aber, in seinen Garten zu gehen. Die Diener des Sultans kamen mit mir und ließen mich nicht aus den Augen. Als es schon fünf Minuten vor vier war, ließ ich meinen *Horcher* und meinen Schützen kommen. Der Horcher legte sich auf die Erde. Ich wollte wissen, ob er meinen Läufer schon hören konnte. Zu meinem größten Schreck sagte er zu mir:

»Der Läufer liegt weit weg von hier im Gras und schläft.«

Als mein Schütze das hörte, sprang er auf die Treppe und rief:

»Es ist wahr! Der Läufer liegt unter einem Baum bei Belgrad, und die Flasche steht neben ihm. Aber warte, Läufer, ich will dich wecken!«

Mit diesen Worten legte er sein Gewehr an den Kopf und schoß zehnmal in die Luft. Im gleichen Augenblick sprang der Läufer auf und lief so schnell, daß er eine halbe Minute vor vier vor dem Kabinett des Sultans ankam.

---

der Horcher, ein Mensch, der hört

In seiner Hand hatte er eine Flasche Tokaier und einen Brief von der Kaiserin Maria Theresia.

Das war eine Freude, meine Herren! Oh, der Sultan trank und trank.

»Münchhausen«, sagte er, »sei mir bitte nicht böse, wenn ich den Wein allein trinke. In Wien ist der Tokaier wirklich besser.«

Und dann stellte er die Flasche in den Schrank und rief seinen *Schatzmeister.* Dieser Mann sollte mir soviel Gold und Silber geben, wie ich tragen konnte. Der Sultan gab mir dann die Hand, und ich verabschiedete mich.

Meine Herren, glauben Sie mir, ich ließ meinen starken Diener kommen. Mit seinem langen Strick gingen wir in die *Schatzkammer.* Mein Diener legte seinen Strick um das ganze Gold und Silber. Er nahm alles mit!

Dann liefen wir schnell zu meinem Schiff, um alles in Sicherheit zu bringen. Ich hatte Angst um meinen Kopf. Und richtig! Der Schatzmeister war zum Sultan gelaufen und hatte es ihm erzählt. Darüber war der Sultan sehr böse geworden. Er hatte seinen Schiffen *befohlen,* unser Schiff zurückzubringen.

Wir fuhren schnell auf das Wasser hinaus. Plötzlich sahen wir alle türkischen Schiffe hinter uns.

Ich muß sagen, meine Herren, ich hatte große Angst. Aber mein Windmacher stand neben mir und sprach:

»Haben Sie keine Angst, Herr Baron!«

---

der Schatzmeister, der Mann, der für das Gold und Silber sorgt
die Schatzkammer, der Raum, in dem das Gold liegt
befehlen, streng verlangen

Er ging auf das *Hinterdeck* des Schiffes und machte Wind. Mit dem einen Nasenloch *trieb* er die türkischen Schiffe wieder zurück, und mit dem anderen Nasenloch trieb er mein Schiff in wenigen Stunden nach Italien.

---

das Hinterdeck, der hintere Teil eines Schiffes
treiben, wegstoßen

Von meinem Gold und Silber behielt ich aber nichts. Denn in Italien, meine Herren, sind viele Straßen*räuber*. So wurde mir alles auf der Reise nach Rom weggenommen.

Nun aber, meine Freunde, möchte ich gern zu Bett gehen. Schlafen Sie wohl!

---

der Räuber, ein Mensch, der anderen Menschen das Geld weg-
nimmt

Fragen

1. Warum wurden Münchhausens Besucher plötzlich aufmerksam?

2. Warum darf man in der Türkei keinen Wein trinken?

3. Was machte der Sultan nach dem Mittagessen?

4. Was sagte Münchhausen zu dem Tokaier des Sultans?

5. Warum sollte der Läufer nach Wien laufen?

6. Was versprach der Sultan dem Baron?

7. Warum ließ Münchhausen den Horcher und den Schützen kommen?

8. Was sollte der starke Mann tun?

9. Was machte der Windmacher mit den türkischen Schiffen?

10. Warum behielt Münchhausen nichts von dem Gold und dem Silber?

DIE REISE NACH RUSSLAND

Im Winter reiste ich nach Rußland. Die Wege durch Deutschland und Polen waren sehr schlecht. Das hatte ich von vielen Reisenden gehört. So dachte ich: Kälte und Schnee waren gut für die Wege und machten das Reisen bestimmt leichter.

Ich reiste zu *Pferd*. Das ist die angenehmste Art zu reisen. Man ärgert sich dann nicht über einen durstigen *Kutscher*, der vor jeder *Schenke* halten will.

Ich *ritt*, bis Nacht und Dunkelheit über mich kamen. Kein *Dorf* war zu hören oder zu sehen. Das ganze Land lag unter Schnee, und ich fand keinen Weg.

Ich war müde geworden und sprang vom

der Kutscher

das Pferd   die Kutsche   der Wetterhahn

---

die Schenke, ein Restaurant
reiten, sich auf einem Pferd fortbewegen
das Dorf, eine kleine Stadt

Pferd. In dem Schnee sah ich etwas Spitzes. Ich glaubte, es war ein Baum. Daran machte ich mein Pferd fest. Zur Sicherheit nahm ich meine *Pistole* unter den Arm. Dann legte ich mich nicht weit davon in den Schnee.

Ich schlief sehr gut und machte die Augen erst auf, als es heller Tag war. Aber wie wunderte ich mich! Ich sah, daß ich in einem Dorf auf dem *Kirchhof* lag. Mein Pferd konnte ich zuerst nicht finden. Doch dann hörte ich plötzlich ein *Wiehern* in der Luft. Ich sah nach oben. Mein Pferd hing an dem *Wetterhahn* eines *Kirchturms.* Nun wußte ich sofort, was geschehen war:

Als ich in der Nacht angekommen war, hatte das ganze Dorf unter Schnee gelegen. Das Wetter hatte sich plötzlich geändert. Der Schnee war *geschmolzen,* und ich war im Schlaf langsam auf die Erde *gesunken.* In der Dunkelheit hatte ich mein Pferd an einem Kirchturm festgemacht.

Sofort nahm ich meine Pistole und schoß das Pferd herunter. Auf diese Art bekam ich

---

die *Pistole,* ein kleines Gewehr
das *Wiehern,* das Rufen der Pferde
der *Wetterhahn,* siehe Zeichnung auf Seite 35
schmelzen, durch Wärme verschwinden
sinken, nach unten fallen

der Kirchturm

der Kirchhof

mein Pferd wieder, und ich konnte weiter-
reisen.

Ich kam nach Rußland. Dort hatte ich viel
Zeit, und ich ging oft auf die Jagd. Sie wissen,
meine Herren, ich bin immer ein großer
Freund der Jagd gewesen. Für einen *Jäger* ist
Rußland das beste Land auf der Erde.

Hören Sie nun, was ich in Rußland selbst
gesehen habe:

Einmal hatte ich kein *Schrot* mehr in meinem Gewehr. Da sah ich plötzlich den schönsten *Hirsch* von der Welt. Er stand vor mir
und sah mich an. Er merkte wohl, daß ich kein
Schrot mehr hatte. Im gleichen Augenblick
füllte ich mein Gewehr mit *Kirsch*steinen.
Ganz schnell hatte ich das Fleisch von den
Kirschen gegessen und die Steine herausge-
nommen.

Nun schoß ich alle Steine – eine Handvoll –
auf seine *Stirn.* Die Steine töteten den Hirsch
nicht. Er lief in den Wald zurück, und ich
konnte ihn nicht mehr sehen.

---

der Jäger, der Mann, der auf die Jagd geht
das Schrot, kleine Kugeln, die man zum Schießen ge-
braucht
füllen, vollmachen

der Hirsch

Ein oder zwei Jahre später kam ich wieder
in diesen Wald. Plötzlich sah ich einen maje-
stätischen Hirsch. Er hatte einen Kirschbaum
auf seinem Kopf – ungefähr zehn Meter hoch.

die Stirn

die Kirsche

Ich *erinnerte mich* an mein Abenteuer vor vielen Jahren und merkte, daß es mein Hirsch war. Ich schoß auf den Hirsch. Ich schoß nur einmal und hatte nun den besten *Braten* und Kirschen dazu. Der Baum war nämlich voll von Kirschen. Ich muß Ihnen sagen, meine Herren, nie in meinem Leben habe ich so *delikate* Kirschen gegessen.

Es ist Ihnen bekannt, meine Herren, daß ich immer ein *berühmter* und mutiger Jäger gewesen bin. Ein guter Jäger hat aber nur dann Erfolg, wenn er kluge Pferde und *Hunde* hat. Ich kann wohl sagen, daß ich mit meinen Tieren immer Glück gehabt habe.

Einmal hatte ich einen Hund, den ich nie vergessen werde. Das Tier hatte die schnellsten Beine von der Welt. Ich liebte es sehr, und ich ging oft mit ihm auf die Jagd. Der Hund lief so schnell, so oft und so lange, daß seine Beine ganz kurz wurden.

Ich muß Ihnen noch erzählen, daß es eine *Hündin* war. Einmal jagte sie einen *Hasen,* der sehr dick war. Es tat mir sehr leid um meine

---

sich erinnern, an etwas denken
delikat, besonders gutschmeckend
berühmt, sehr bekannt
die Hündin, die Hundefrau

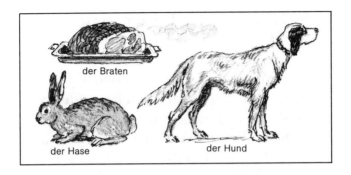

der Braten

der Hase   der Hund

arme Hündin, denn in kurzer Zeit sollte sie Junge bekommen. Aber trotzdem konnte sie so schnell wie früher laufen. Ich konnte auf meinem Pferd gar nicht so schnell reiten.

Die Hündin lief also weit vor mir. Plötzlich hörte ich das *Bellen* von vielen Hunden. Es war nicht sehr kräftig und auch nicht laut. Ich konnte das nicht verstehen.

Als ich näher kam, sah ich ein Wunder! Die *Häsin* hatte im Laufen junge Hasen bekommen, und meine Hündin hatte zur gleichen Zeit junge Hunde bekommen. Es waren ebenso viel junge Hasen wie junge Hunde zur Welt gekommen. Alle Hasen waren nun weggelaufen, und alle Hunde hatten die Hasen gejagt und auch gefangen.

So hatte ich plötzlich sechs Hasen und

---

das Bellen, das Rufen der Hunde
die Häsin, die Hasenfrau

sechs Hunde. Und ich hatte doch nur mit einem Hasen und einem Hund angefangen.

Ich denke immer gern an meine Hündin zurück. Ebenso gern denke ich an ein litauisches Pferd, das nicht mit Geld zu bezahlen war. Dieses Pferd bekam ich, als ich bei dem reichen Baron Przobofsky in Litauen war.

Ich trank im *Salon* Tee mit den Damen. Die Herren waren zu den Pferden gegangen. Der Baron hatte nämlich gerade ein junges Pferd bekommen. Plötzlich hörten wir einen Schrei. Ich lief die Treppe hinunter und sah das Pferd. Es war so *wild*, daß die Herren Angst vor ihm hatten. Keiner von ihnen hatte den Mut, sich auf das Pferd zu setzen. Die Angst zeigte sich aber auf allen Gesichtern, als ich auf den Rücken des Pferdes sprang. Durch meine besten Reit*künste* brachte ich es ganz zur Ruhe.

Um den Damen das ruhige Tier zu zeigen und ihnen die Angst zu nehmen, sprang ich mit dem Pferd durch das Fenster in das Teezimmer hinein. Hier ritt ich mehrere Male hin und her. Ich sprang sogar auf den Tisch. Und

---

der Salon, ein großes, schönes Zimmer
wild, sehr unruhig
die Kunst, das Können

nun zeigte ich ganz besondere Reitkünste, worüber die Damen sich sehr freuten. Mein Pferd ritt so ruhig und vorsichtig, daß keine *Kannen* und *Tassen* herunterfielen.

die Kanne

die Tasse

Die Damen und die Herren wunderten sich sehr über meine Künste. Zum Schluß bat mich der Baron, das Pferd zu behalten. Es war ein Geschenk von ihm, und ich sollte es im Kampf gegen die Türken gebrauchen.

Mein Pferd konnte sehr gut und leicht springen. Und es fand immer den kürzesten Weg. Einmal lief es hinter einem Hasen her. Der Hase sprang über einen Weg. Gerade in diesem Augenblick fuhr eine *Kutsche* mit zwei schönen Damen zwischen mir und dem Hasen vorbei. Die Fenster der Kutsche waren *offen*. Mein Pferd sprang schnell durch die Kutsche, ohne an etwas zu stoßen. Ich hatte gar keine Zeit, meinen Hut abzunehmen und die Damen um Entschuldigung zu bitten.

---

die Kutsche, siehe Zeichnung auf Seite 35
offen, aufgemacht

Ein anderes Mal wollte ich mit meinem Pferd über einen Fluß springen. Der Fluß war aber sehr breit. Als wir über dem Wasser in der Luft waren, drehte ich mein Pferd wieder um, und es sprang zurück. Nun versuchte es, ein zweites Mal über den Fluß zu springen.

Aber auch diesmal sprang es zu kurz. Wir fielen bis an den Hals in das Wasser. Die Stärke meines Armes war meine *Rettung*. Mit meinem Arm zog ich meinen Kopf selbst aus dem Wasser. Mein Pferd nahm ich fest zwischen meine Beine, und so kamen wir wieder an Land.

Sie wissen, meine Herren, daß ich für den russischen *Zaren* gegen die Türken kämpfte. Wir hatten viele schwere, aber erfolgreiche Kämpfe. Ich will nicht darüber sprechen. Aber die Erfolge haben wir nur durch meine Klugheit und *Tapferkeit* gehabt.

---

die Rettung, die Hilfe
der Zar, der russische Kaiser
die Tapferkeit, der Mut

Fragen

1. Wie reiste Münchhausen nach Rußland?

2. Was machte Münchhausen mit dem Pferd, als er müde war?

3. Worüber wunderte Münchhausen sich am nächsten Morgen?

4. Warum hatte der Hirsch einen Kirschbaum auf dem Kopf?

5. Welche Tiere liebte Münchhausen ganz besonders?

6. Warum hatte Münchhausen plötzlich sechs Hasen und sechs Hunde?

7. Was machte Münchhausen bei dem Baron in Litauen?

8. Warum sprang das Pferd durch die Kutsche?

9. Warum konnte das Pferd nicht über den Fluß springen?

10. Was machte Münchhausen in der Türkei?

IN TÜRKISCHER *GEFANGENSCHAFT*

Trotz meines Mutes und meiner Klugheit und trotz der Schnelligkeit und Stärke meines Pferdes hatte ich einmal kein Glück.

Ich kam in türkische Gefangenschaft. Ja, das Unglück wurde noch größer! Denn ich wurde an den Sultan verkauft und wurde sein *Sklave*. Meine Sklavenarbeit war hart, und ich ärgerte mich oft darüber. Ich mußte nämlich die *Bienen* des Sultans jeden Morgen auf einen Berg bringen und sie am Abend wieder in ihre *Bienenstöcke* herunterholen.

die Biene   der Bienenstock

Eines Abends war eine Biene weg. Ich merkte sofort, daß zwei *Bären* die Biene weggenommen hatten. Sie wollten den *Honig*

---

die Gefangenschaft, Gefangensein in einem fremden Land
der Sklave, kein freier Mensch
der Bär, siehe Zeichnung auf Seite 48
der Honig, das Produkt der Bienen

der Bär

haben. Ich hatte kein Gewehr bei mir, nur eine Axt aus Silber. Das ist das besondere Zeichen der Sklaven bei dem Sultan. Diese Axt warf ich nach den beiden Räubern. Ich wollte sie nicht töten, ich wollte sie nur wegjagen. Die arme Biene setzte ich wirklich in Freiheit. Aber durch die Kraft meines Armes flog die Axt hoch in die Luft, flog höher und höher. Und dann fiel sie auf dem Mond herunter.

Wie konnte ich sie nun zurückbekommen?

Ich dachte an die türkischen *Bohnen,* die sehr groß werden. Viele von ihnen wachsen bis in den Himmel. Ich *pflanzte* also eine

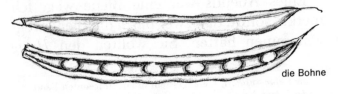
die Bohne

---

pflanzen, Bäume oder Blumen in die Erde tun, damit sie groß werden

48

Bohne. Und wirklich! Sie wuchs höher und höher, bis sie auf den Mond kam. Dort *rankte* sie sich fest. Nun *kletterte* ich an der Bohne auf den Mond.

Es war eine große Arbeit für mich, die silberne Axt wiederzufinden. Denn, meine Herren, auf dem Mond ist alles aus Silber. Doch endlich fand ich sie.

Nun wollte ich wieder zur Erde zurückklettern. Aber ach! Die Sonne hatte meine Bohne so trocken gemacht, daß ich daran nicht herunterklettern konnte. Was sollte ich nun tun?

Ich hatte einen Strick bei mir. Diesen Strick machte ich an dem Mond fest, und so konnte ich herunterkommen. Mit der rechten Hand hielt ich mich an dem Strick fest, und in der linken Hand hatte ich meine Axt. Der Strick war aber nicht lang genug. Wenn ich an dem Strick heruntergeklettert war, schnitt ich das Stück über mir ab. Und dieses Stück machte ich unter mir wieder fest. Ich kam ziemlich weit nach unten. Aber durch das Abschneiden und das Festmachen wurde mein Strick nicht besser.

Ich war noch oben in den *Wolken,* als mein

---

ranken, an einem Stock oder einem Baum hochwachsen
klettern, hinaufgehen
die Wolke, siehe Zeichnung auf Seite 50

die Wolke

Strick plötzlich *zerriß*. Mit größter Kraft fiel ich auf Gottes Erde. Ich fiel in ein Loch – neunzig Meter tief in die Erde hinein.

Nun wußte ich nicht, wie ich wieder herauskommen sollte. Aber was tut man im Unglück? Ich machte mir mit meinen Fingern eine Treppe, und so kam ich endlich nach oben.

Später erzählte ich dem Sultan dieses Abenteuer, und er lachte sich beinahe tot darüber.

Fragen

1. Was mußte Münchhausen in der türkischen Gefangenschaft machen?

2. Wohin flog die Axt?

3. Warum pflanzte Münchhausen eine Bohne?

4. Wie kam Münchhausen wieder vom Mond herunter?

5. Wohin fiel Münchhausen?

---

zerreißen, kaputtmachen, kaputtgehen

DIE REISE NACH DEUTSCHLAND

Bald kam ich aus der türkischen Gefangenschaft wieder nach Rußland zurück. Ich blieb
aber nicht lange in Rußland, sondern reiste
nach Deutschland zurück. In ganz Europa
war es in diesem Winter sehr kalt.

Mein litauisches Pferd war in der Türkei
geblieben. So mußte ich mit der Postkutsche
reisen. Auf dem Weg kamen wir an eine enge
Stelle. An der einen Seite waren hohe Bäume,
und an der anderen Seite war ein tiefer Fluß.
Gerade an dieser Stelle sahen wir eine andere
Kutsche, die an uns vorbeifahren mußte.

Ich bat meinen Kutscher, mit seinem *Horn*
ein Zeichen zu geben. Er versuchte es, aber
ohne Erfolg. Trotz größter Mühe kam kein
Ton heraus. Wir konnten es uns nicht erklären. Und es war wirklich ein Unglück, denn
wir konnten nicht an der anderen Kutsche
vorbeikommen.

das Horn

Ich sprang aus meiner Kutsche und *spannte* zuerst die Pferde *aus*. Dann nahm ich die Kutsche mit den vier Rädern und allen Sachen auf meinen Rücken und sprang damit über den Fluß. Das Wasser war ungefähr neun Meter tief. Die Kutsche war natürlich sehr schwer, und es war nicht so leicht, auf die andere Seite des Flusses zu kommen. Dann sprang ich wieder auf den Weg zurück. Unter jeden Arm nahm ich ein Pferd und brachte beide Tiere auf die andere Seite. Als die fremde Kutsche vorbeigefahren war, brachte ich unsere Kutsche und die Pferde auf die gleiche Art zurück. Ich ließ die Pferde wieder *anspannen,* und dann konnten wir weiterfahren.

ausspannen, das Pferd von der Kutsche losmachen
anspannen, das Pferd an der Kutsche festmachen

Ich muß noch erzählen, daß eines von den Pferden eine große Dummheit machen wollte. Es war vier Jahre alt. Als ich zum zweiten Mal über den Fluß sprang, machte es eine starke, unruhige Bewegung mit seinen Beinen. Ich nahm seine Hinterbeine und *steckte* sie in meine *Mantel*tasche.

Am Abend kamen wir in eine Schenke. Der Kutscher hängte sein Horn in die Nähe des Feuers und setzte sich an einen Tisch. Ich setzte mich zu ihm.

Nun hört, Ihr Herren, was geschah! Plötzlich hörten wir »Tereng! Tereng! Teng, teng!« Wir machten große Augen und wunderten uns sehr. Aber im gleichen Augenblick sahen wir, warum das Horn auf der Fahrt keine Töne herausgebracht hatte. Die Töne waren in dem Horn fest*gefroren.* Und nun kamen sie alle hell und klar heraus. Wir hörten viele schöne und bekannte *Lieder.* Und der Kutscher setzte nicht einmal seinen Mund an das Horn.

Dies war mein letztes Abenteuer auf meiner russischen Reise.

---

stecken, legen
der Mantel, ein warmes Kleidungsstück für den Winter
frieren, sehr kalt werden, sehr kalt sein
das Lied, ein Musikstück zum Singen

Viele Reisende erzählen nicht immer die volle Wahrheit von ihren Abenteuern. So ist es kein Wunder, wenn man ihnen nicht glaubt. Sie können aber sicher sein, meine Herren, daß alle meine Erzählungen wahr sind. Sollten Sie trotzdem nicht daran glauben, müssen Sie jetzt lieber nach Hause gehen. Meine nächsten Abenteuer sind nämlich noch merkwürdiger, aber doch wahr!

Fragen

1. Warum reiste Münchhausen mit der Kutsche nach Deutschland?

2. Warum mußte der Kutscher die Pferde ausspannen?

3. Was machte Münchhausen mit der Kutsche und den Pferden?

4. Was hörten sie in der Schenke?

DIE REISE ZUM ÄTNA

Ich will Ihnen nun, meine Herren, ein ganz merkwürdiges Abenteuer erzählen:

Ich hatte immer große Lust gehabt, den *Vulkan* Ätna zu besuchen. Ich hatte sehr viel davon gelesen und gehört.

Eines Morgens fing meine Reise an. Nach drei Stunden kam ich auf dem Berg an. Der Ätna *tobte* gerade sehr stark. Ich ging dreimal um den *Krater* herum, und dann sprang ich hinein.

der Krater

der Vulkan

Sie können sich denken, meine Herren, daß es hier sehr warm und laut war. Durch die Kraft fiel ich sofort auf den *Grund*. Dort hörte ich eine laute Stimme. Es war der Gott Vulkan selbst. Als er mich sah, war er sehr freundlich zu mir. Er gab mir sofort eine Flasche *Nektar* und andere Weine zu trinken.

---

toben, sehr laut und unruhig sein
der Grund, hier: der unterste Teil des Kraters
der Nektar, der Wein der Götter

Dann führte er mich zu seiner Frau Venus und machte mich mit ihr bekannt. Die Schönheit dieser Frau und die Schönheit ihres Zimmers werde ich nie in meinem Leben vergessen!

Vulkan erzählte mir viel von dem Ätna. Aber eines Morgens war er sehr böse. Er trug mich in ein Zimmer, das ich noch nie gesehen hatte. Dann hielt er mich über einen tiefen Abgrund und sagte zu mir:

»Du undankbarer Mensch! Gehe zurück in die Welt, von der du gekommen bist!«

Mit diesen Worten ließ er mich in den Abgrund fallen. Ich fiel und fiel immer schneller. Ich fiel in ein großes Wasser, und alles um mich herum war sehr hell. Vor mir sah ich einen großen Eisberg. Ich kletterte auf den Eisberg. Doch auch von hier konnte ich kein Land sehen. Endlich – kurz vor der Nacht – sah ich ein Schiff. Als es nahe genug war, rief ich. Man antwortete mir auf Holländisch. Ich sprang in das Wasser, schwamm zu dem Schiff und wurde heraufgezogen. Ich fragte:

»Wo sind wir hier?«

Und ich bekam die Antwort:

»Im Pazifik!«

Nun verstand ich alles: Ich war durch die

ganze Erde in den Pazifik gefallen. Das war jedenfalls der kürzeste Weg um die Welt. Noch nie hatte ein Mensch diese Reise gemacht.

Ich erzählte den Holländern mein Abenteuer. Aber sie wollten es mir nicht glauben. Doch sie waren freundlich zu mir, und ich durfte bei ihnen bleiben.

Wir fuhren drei Monate mit dem Schiff. Dann kamen wir zu einer Insel. Hier wuchsen die schönsten Obstbäume. Es gab viele tausend Arten, die wir gar nicht kannten. Die Bäume waren sehr groß. Und auf ihnen waren Vogel-*nester.*

das Nest

In einem Nest lagen – warten Sie, ich will gern die Wahrheit sagen – fünfhundert Eier. Wir konnten die Jungen darin sehen. Als wir ein Ei aufgemacht hatten, kam ein junger Vogel heraus. Er war so groß wie zwanzig Pferde. Wir setzten das junge Tier wieder in Freiheit. Aber ein alter Vogel flog zu uns herunter. Er nahm einen Mann von uns in seine Klauen

und flog mit ihm hoch in die Luft. Dann ließ er ihn in das Wasser fallen.

Die Holländer können gut schwimmen. So war der Mann bald wieder bei uns.

Wir fanden noch viele andere merkwürdige Tiere. Wir sahen zwei wilde *Ochsen,* die nur ein *Horn* hatten. Später hörten wir, daß die Menschen sie zum Reiten gebrauchten. Ihr Fleisch soll sehr gut schmecken, wie man uns erzählte.

Dann gingen wir zu unserem Schiff zurück und fuhren von dieser merkwürdigen Insel wieder ab.

Nach drei Tagen kamen wir in ein anderes Wasser. Es war ganz schwarz. Wir tranken das Wasser. Und siehe! Es war der beste

das Horn

der Ochse

Wein, den wir in unserem Leben getrunken hatten. Wir mußten vorsichtig sein, daß wir uns nicht *berauschten*. Aber die Freude dauerte nicht lange.

Wenige Stunden später waren viele *Fische* um uns herum. Ein Fisch war besonders groß. Leider merkten wir das erst, als wir ganz in seiner Nähe waren. Plötzlich zog er unser Schiff in seinen Rachen hinein. Wir lagen einige Zeit darin. Dann machte er seinen Rachen weit auf, *schluckte* sehr viel Wasser, und unser Schiff schwamm in den Magen hinunter.

Sie können sich denken, meine Herren, daß unser Schiff ziemlich groß war. In dem Magen lagen wir ganz ruhig. Die Luft war warm, aber unangenehm. Das können Sie mir glauben! Und es war so dunkel, daß wir *Fackeln* anmachen mußten. Hier gab es keine Sonne, keinen Mond und auch keine Sterne.

Wir fanden viele interessante Sachen hier: alte *Boote, Anker, Taue* und viele andere Schif-

der Fisch

---

sich berauschen, zu viel Wein trinken
schlucken, etwas trinken oder essen
das Boot, ein kleines Schiff

fe. Alles hatte der Fisch verschlungen.

Zweimal am Tage waren wir auf hohem Wasser, wenn der Fisch trank. Und zweimal waren wir auf dem Grund. Dann hatte der Fisch das Wasser auf natürlichem Weg wieder herausgelassen.

Am zweiten Tag unserer Gefangenschaft untersuchte ich mit einigen Männern den Magen. Wir lagen gerade auf dem Grund, und so konnten wir mit unseren Fackeln umhergehen. Nun sahen wir ungefähr zehntausend Menschen aus allen Ländern der Welt. Sie waren zusammengekommen, um über die Möglichkeit ihrer Freiheit zu sprechen. Einige von ihnen waren schon mehrere Jahre in dem Magen des Fisches gewesen.

Gerade in diesem Augenblick wurde unser schrecklicher Fisch durstig. Er fing an zu trinken. Das Wasser kam mit großer Kraft herein,

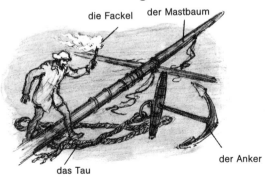

die Fackel   der Mastbaum

der Anker

das Tau

und wir mußten Rettung suchen. Nur mit größter Mühe konnten wir zu unseren Schiffen zurückschwimmen.

Einige Stunden später hatten wir mehr Glück. Das Tier hatte seinen Magen leergemacht. Und nun kamen wir wieder zusammen, um weiter zu sprechen. Ich machte den Herren den Vorschlag, zwei lange *Mastbäume* zwischen den Rachen zu stecken. So konnte der Fisch den Mund nicht wieder zumachen. Alle waren sehr glücklich über meinen Vorschlag.

Wir fanden hundert starke Männer. Gerade als der Fisch seinen Rachen aufmachte, steckten sie die Mastbäume hinein. Es war ganz unmöglich für den Fisch, den Mund wieder zuzumachen.

Dann gingen wir alle schnell auf unsere Schiffe, machten alles für die Fahrt fertig und fuhren in die Freiheit zurück. Nach der langen Gefangenschaft war das Licht des Tages eine große Freude für uns.

Als wir alle aus dem Fischmagen herausgekommen waren, zählten wir fünfunddreißig Schiffe auf dem Wasser. Sie kamen aus allen Ländern der Welt.

---

der Mastbaum, siehe Zeichnung auf Seite 61

Unsere Mastbäume ließen wir in dem Rachen des Fisches stecken. Andere Schiffe sollten nicht in den schrecklichen Abgrund von Nacht und Dunkelheit kommen.

Nun wollten wir natürlich wissen, in welchem Teil der Erde wir waren. Wir kannten das *Meer* nicht. Zu allen Seiten sahen wir Land. Endlich merkten wir, daß wir im Kaspischen Meer waren. Wie waren wir dorthin gekommen? Dieses Meer hat nämlich keine *Verbindung* mit anderen Meeren. Wir konnten es uns nicht erklären. Vielleicht hatte der Fisch uns unter der Erde hierher gebracht?! Wir freuten uns jedenfalls, daß wir zu einem Land gekommen waren.

Ich ging zuerst von dem Schiff. Von hier reiste ich nach Petersburg. Dort schenkte mir ein Freund einen schönen Jagdhund. Leider wurde der Hund auf der Jagd getötet. Ich war sehr unglücklich darüber, aber ich ließ mir aus dem *Fell* eine *Weste* machen.

— der Knopf   — die Weste

---

das *Meer,* ein großes Wasser
die *Verbindung,* das Zusammenhängen von mehreren Sachen
das *Fell,* die Haare eines Tieres

Die Weste trage ich nun immer auf der Jagd, und sie bringt mir immer viel Glück. Wenn ein Hase in der Nähe ist, springt ein *Knopf* ab. Sie sehen, meine Herren, jetzt habe ich nur noch drei Knöpfe an der Weste. Aber bald lasse ich mir neue Knöpfe daran setzen.

Besuchen Sie mich bald wieder, meine Herren. Ich kann Ihnen noch viele interessante Abenteuer erzählen. Für heute ist es aber genug. Ich wünsche Ihnen eine angenehme Ruhe!

Fragen

1. Warum wollte Münchhausen den Ätna besuchen?

2. Welche Reise machte Münchhausen vom Ätna?

3. Wohin fuhr Münchhausen mit dem holländischen Schiff?

4. Wie kamen die Männer aus dem Magen des Fisches heraus?

5. Warum trug Münchhausen die Weste auf der Jagd?

---

der Knopf, siehe Zeichnung auf Seite 63